RESUMEN COMPLETO

GO PRO

**7 PASOS PARA CONVERTIRSE EN
UN PROFESIONAL DEL MERCADEO EN RED**

**GO PRO: 7 STEPS TO BECOMING
A NETWORK MARKETING PROFESSIONAL**

BASADO EN EL LIBRO DE
ERIC WORRE

RESUMEN ESCRITO POR
BOOKIFY EDITORIAL

D1216617

CONTENIDO

BREVE INTRODUCCIÓN

¿Quieres modernizar tu negocio?

¿Necesitas un cambio que te permita ganar más dinero y vivir más feliz?

Incorpórate a la Comercialización en Red y empezarás a obtener excelentes resultados.

"Go Pro" presenta las claves para convertirse en un profesional de la Comercialización o Mercadeo en Red. Es una guía para todos aquellos que quieran dedicarse al mercadeo multinivel para fortalecer su empresa o como un negocio en sí mismo.

¿QUÉ APRENDERÁS?

Encontrarás 7 pasos que te guiarán para que te vuelvas un empresario exitoso.

Lograrás integrar tu negocio al mundo de hoy, que se mueve con la tecnología.

Si eres empleado, te liberarás de horarios, jefes, discusiones, traslados.

Descubrirás una modalidad de negocios que te brindará ingresos importantes con libertad de horarios y bajo riesgo.

Si eres empresario, lograrás reducir tu plantilla de empleados y, por tanto, costos y problemas.

BIOGRAFÍA DEL AUTOR ORIGINAL

Eric Worre es estadounidense. Vivió sus primeros tiempos laborales con gran inestabilidad, hasta que descubrió la industria de la Comercialización en Red en la que se ha convertido en experto. En la actualidad es el gurú de esta modalidad de negocios y sus ideas ayudan a muchos emprendedores que descubren en esta opción el trabajo adecuado a sus necesidades.

ACERCA DEL LIBRO ORIGINAL

¿Deseas impulsar tu empresa o crear un negocio nuevo desde cero utilizando la estrategia de la comercialización en red? En este libro encontrarás, expuestos con precisión, los pasos para convertirte en un emprendedor profesional que sabrá aprovechar todas las ventajas de un mercadeo en red.

Si has intentado todos los métodos tradicionales para fundar tu propio negocio, pero no has logrado que crezca hasta alcanzar el éxito de tus sueños, no te rindas aún, pues estás a tiempo para seguir aspirando a convertirte en tu propio jefe y administrar tu tiempo como tú quieras. La libertad en tu propia empresa es posible si vas más allá del camino habitual.

Ya sea que comercialices tus propios productos u ofertes servicios de otros proveedores, Go Pro de Eric Worre te ofrece el conocimiento necesario para completar siete pasos que te permitirán gestionar tu propia red de comercialización. Podrás impulsar tu economía sin que tengas que sufrir las ataduras de un horario de oficina inflexible o soportar dirigentes o compañeros de trabajo que no sean de tu agrado.

REVISIÓN DE CAPÍTULOS

CAPÍTULO 01: Conocerás por qué la mayoría de las personas, posiblemente tú incluido, no disfrutan de sus trabajos y se sienten insatisfechos.

CAPÍTULO 02: Conocerás cuáles son las cinco categorías de empleo tradicionales y las razones de por qué ninguna puede ser perfecta.

CAPÍTULO 03: Aprenderás acerca del nuevo modelo económico y las desventajas que presenta en casi todos los trabajos.

CAPÍTULO 04: Descubrirás que la solución para lograr la independencia económica es emplear la estrategia de comercialización en red.

CAPÍTULO 05: Aprenderás que la suerte no es un factor relevante al momento de emprender un negocio, pues todo depende de ti.

CAPÍTULO 06: Obtendrás la primera habilidad, que consiste en saber encontrar clientes.

CAPÍTULO 07: Obtendrás la segunda habilidad, que implica establecer una comunicación efectiva con tus clientes.

CAPÍTULO 08: Como parte de la segunda habilidad, aprenderás a cuidar tus emociones.

CAPÍTULO 09: Como parte de la segunda habilidad, descubrirás cómo invitar a tus clientes exitosamente para que conozcan tus productos.

CAPÍTULO 10: Obtendrás la tercera habilidad, la cual te ayudará a crear una buena presentación para convencer a tus clientes de comprar el producto.

CAPÍTULO 11: Obtendrás la cuarta habilidad, la cual te enseñará a darle seguimiento a las presentaciones de tu producto.

CAPÍTULO 12: Obtendrás la quinta habilidad, que te permitirá darle a tus clientes el último impulso para que te den el "sí".

CAPÍTULO 13: Obtendrás la sexta habilidad, que te explicará por qué necesitas convertirte en el mentor de tus nuevos clientes.

CAPÍTULO 14: Obtendrás la séptima habilidad, que consiste en el crecimiento a gran escala de tu red de comercialización.

CAPÍTULO 15: Reflexionarás acerca del tiempo que se necesita para convertirse en un experto y de cómo no debes presionarte.

CAPÍTULO 01:
¿CUÁL ES EL TRABAJO IDEAL?

Eric Worre creó una lista con las características que tendría el trabajo ideal, según las opiniones que recopiló de muchas personas en más de treinta países. Si te hubiera preguntado a ti también, seguro estarías de acuerdo con que el trabajo perfecto tendría las siguientes cualidades:

- Ingresos satisfactorios
- Horarios flexibles o libres
- Bajos costos para el emprendimiento
- Trabajo asegurado a largo plazo
- Oportunidad para crecer
- Poco riesgo
- Equipo de trabajo y personal agradable
- Sobre todo, que el trabajo pudiera disfrutarse

Muchas personas se sienten frustradas e insatisfechas con sus empleos porque representan una obligación que no les gusta y que los mantiene ansiosos. Tratar con superiores difíciles, trabajar horarios pesados y convivir con colegas irrespetuosos son algunas de las condiciones por las que alguien podría sentir que su trabajo no vale la pena, mucho menos a cambio de un salario que quizá es insuficiente.

A raíz de lo anterior, se puede formular otra lista con las características negativas o poco deseables que, de hecho, cubren a todas las profesiones del típico mundo laboral en la actualidad:

- Horarios fijos
- Tratar con jefes o con empleados
- Desperdiciar mucho tiempo en los traslados
- Políticas empresariales
- Cumplir con requerimientos educativos
- Ambientes discriminatorios

Aunque esta última lista sea la realidad para muchas personas, el trabajo perfecto no es una utopía inalcanzable. En los siguientes capítulos aprenderás a crear tu propio negocio para gozar de todas las cualidades expuestas en la primera lista.

INSTRUCCIONES PRÁCTICAS

Tener el trabajo ideal dependerá de si lo sientes como una obligación desagradable o no.

Realiza una lista de las cualidades y defectos de tu empleo actual, así podrás valorar qué tanto te gusta.

Como punto de partida, piensa en los cambios que quisieras lograr para tener el trabajo ideal.

PREGUNTAS INDAGATORIAS

¿Te sientes profundamente insatisfecho con tu trabajo actual?

¿Cuáles son los aspectos negativos que más te pesan?

¿Cuáles son las características del trabajo de tus sueños?

CAPÍTULO 02:
¿POR QUÉ LOS EMPLEOS TRADICIONALES NO PUEDEN SER PERFECTOS?

En la actualidad existen cinco tipos de empleo tradicionales cuyas características impiden alcanzar el ideal que vimos en el capítulo anterior. A continuación, vamos a analizar cada categoría para comprender por qué estos tipos de trabajo no llegan a ser completamente satisfactorios.

La primera categoría está conformada por las profesiones de cuello azul; aquellos empleados que se dedican al trabajo manual, como los constructores, conserjes, mecánicos o prestadores de servicios. Este tipo de ocupación queda muy lejos de las características de un trabajo perfecto, por lo que no es la respuesta para crecer profesionalmente.

Las siguientes son las profesiones de cuello blanco, que se podrían definir como lo contrario a las de cuello blanco: esta categoría está conformada por profesionistas que son contratados por otros para desempeñar tareas no manuales, como gestiones administrativas, etcétera. Es lo que se conoce como "trabajo de oficina", una de las opciones más prestigiosas porque tiene la fama de ser un trabajo confiable y seguro.

A su vez, las profesiones de cuello blanco se conforman por dos tipos de profesionistas cuyos perfiles difícilmente podrán alcanzar un empleo perfecto:

1. TRIUNFADORES: los que están en una lucha constante por un ascenso. Son trabajadores con mucha energía, ambición y motivación. Por lo general, sus superiores buscan socavar su progreso porque constituyen una amenaza para otros colegas o jefes, por lo que los triunfadores deben ser cuidadosos en sus relaciones con el equipo de trabajo si desean permanecer en la empresa y continuar escalando.

2. ESCONDIDIZOS: son los empleados que tienen miedo a equivocarse y, por lo tanto, procuran mantener un perfil bajo. No participan en las reuniones ni comparten sus ideas, por lo que es más fácil que sobrevivan en una empresa al no generar competencia como los triunfadores.

La tercera categoría se trata de los vendedores, aquellas personas que intentan desafiar un poco más los puestos más tradicionales, como los de cuello blanco o azul, al negarse a ser empleados para dedicarse a la venta de sus productos. Aunque los vendedores pueden alcanzar una mayor independencia, el problema es que su bienestar económico no se puede mantener estable debido a que los períodos de grandes ventas fluctúan y no siempre están asegurados.

Si se da una crisis económica en el país, si los proveedores fallan o si el producto que se vende queda obsoleto, el estilo de vida del vendedor puede decaer rápidamente y el contraste suele ser doloroso. Quizá hay que decirle adiós, en muy poco tiempo si las ventas no se recuperan pronto, a la casa en un buen vecindario o a la educación privada de los hijos. Estas situaciones inestables generan mucho estrés y, por lo tanto, se da el detrimento consecuente de la salud.

La siguiente categoría parece ser el gran sueño de miles de personas: convertirse en dueños de sus propios negocios. A primera vista, este tipo de trabajo podría parecer más cercano al empleo perfecto, pues el dueño de un negocio no le responde a ningún jefe, administra sus ganancias y toma todas las decisiones. Sin embargo, poner un negocio siempre implica un alto riesgo, ya que hay que invertir todos los ahorros e incluso recurrir a préstamos.

Además, el dueño de un negocio tiene que invertir también mucho tiempo y esfuerzo, pues será el único responsable de que todo funcione. Es así como después de ser visionarios se convierten en vendedores, administradores, contadores e incluso en encargados de la limpieza del local, cualquier cosa que el negocio requiera para mantenerse a flote.

A la larga, tanta dedicación quizá no sea recompensada con el éxito; puede que el negocio no genere ganancias y solo cubra sus propios gastos, haciendo que el dueño viva al día y, con el tiempo, deje de luchar. Después de un fracaso como este, muchas personas regresan a ser empleados, se vuelven conformistas y nunca más vuelven a intentar un emprendimiento.

La última categoría de trabajos tradicionales está conformada por los inversionistas. Esta opción podría parecer muy atractiva debido a que no requiere que el inversionista se esfuerce o pase demasiado tiempo trabajando. Sin embargo, las limitaciones son grandes: solo las personas que ya poseen mucho dinero pueden darse el lujo de hacer inversiones significativas y, además, en realidad no tienen el control de la situación, ya que el rendimiento de su dinero depende de factores que les son ajenos. Los cambios de mercado, que muchas veces son repentinos e inesperados, pueden hacer que una gran inversión quede en la nada.

Como puedes ver, algunos tipos de trabajo son más atractivos que otros e incluso pueden acercarse al ideal del trabajo perfecto gracias a que promueven la independencia y la libertad económica. No obstante, ninguno queda libre de riesgos o dificultades que pueden resultar desastrosos.

INSTRUCCIONES PRÁCTICAS

Analiza los cinco tipos de empleo más comunes que existen y encuentra la categoría en la que encajas.

Entre más independiente y libre te permita ser tu trabajo, más se acercará a un trabajo ideal.

Toma en cuenta que ninguno de los tipos de trabajo tradicional está exento de riesgos y obstáculos difíciles.

PREGUNTAS INDAGATORIAS

¿En cuál de las categorías se encuentra tu trabajo actual?

¿Cuáles son sus peores desventajas?

¿Has fracasado anteriormente para emprender o buscar un trabajo diferente?

CAPÍTULO 03:
¿CUÁL ES EL NUEVO MODELO ECONÓMICO?

El modelo económico de la actualidad es muy diferente del que regía el mundo laboral hace algunos años. Antes, los empleadores calculaban los sueldos de sus empleados de acuerdo con el tiempo que estos pasaban en el trabajo, ya fuera pagándoles por hora o de manera semanal y mensual. Esto fue así durante muchos años en todo el mundo, pero ahora los salarios se planean de manera distinta.

Hoy en día las empresas utilizan una modalidad conocida como compensación por desempeño, lo cual significa que los empleados ya no cobran por el tiempo que invierten en realizar un trabajo, sino que sus sueldos dependen únicamente de los resultados y, tal como indica el nombre, de su desempeño para alcanzar logros demostrables. Es por ello que se establecieron sueldos base muy bajos para incentivar a los trabajadores a cumplir con los objetivos de la empresa, pues esta es la única manera en que pueden multiplicar sus ingresos.

Este nuevo modelo económico, que ha llegado para quedarse y que cada vez se extiende más en todos los campos laborales, es consecuencia del progreso de la tecnología. Las máquinas y sus procesos automáticos que generan producciones perfectas han hecho que cada vez se necesite menos personal humano para desempeñar diversas tareas.

La tecnología ya forma parte de la vida cotidiana: las personas llevan sus dispositivos consigo a todas partes y realizan muchas actividades en línea, como comprar y buscar entretenimiento. Al haber menos puestos de trabajo disponibles, la demanda de empleo sube y las pocas vacantes no son suficientes para la gran cantidad de postulantes. Por lo tanto, las empresas pueden darse el lujo de buscar solo a las mejores trabajadores para contratarlos según su desempeño.

Para sobresalir en esta situación actual que acentúa la competencia y hace más difícil conseguir un trabajo perfecto, es necesario pensar diferente, ir un paso más adelante para descubrir una solución original.

INSTRUCCIONES PRÁCTICAS

Determina si tu sueldo depende de tu desempeño final o del tiempo que inviertes en el trabajo.

Si deseas liberarte del modelo económico actual, debes estar dispuesto a pensar diferente de los demás.

A pesar de las complicaciones que ha originado la tecnología en el mundo laboral, busca soluciones originales para usarla como herramienta.

PREGUNTAS INDAGATORIAS

Si tienes un sueldo base, ¿en realidad te motiva a tener un mejor desempeño para ganar más?

¿Cómo es el ambiente de competencia en tu espacio laboral?

¿Estás dispuesto a cambiar tu mentalidad acerca del trabajo convencional para comenzar a sobresalir?

CAPÍTULO 04:
¿CUÁL ES LA SOLUCIÓN PARA LA INDEPENDENCIA ECONÓMICA?

Como ya vimos, el mundo actual es tecnológico y globalizado, pero estas características no tienen por qué estar en tu contra. En realidad, puedes aprovecharlas mediante estrategias que te permitan sacar provecho de las redes internacionales que se han establecido gracias a la tecnología. La principal ventaja será que en cualquier sitio donde te encuentres, ya sea de viaje en otro país o sentado cómodamente en el sillón favorito de tu casa, podrás se un empresario exitoso que compra y vende productos o servicios en todo el mundo.

Esta estrategia de la que hablamos es la comercialización en red, la cual te ayudará a que las grandes empresas sean tus aliadas y no tus enemigas. Esta estrategia es la más efectiva para sortear el nuevo modelo económico, pues permite que las empresas te paguen mejor por tu desempeño sin ser su empleado directo, mientras que a ellas les aporta la ventaja de reducir sus costos publicitarios.

¿Cómo funciona la comercialización en red? Es bastante sencillo. Un vendedor independiente compra productos de una gran empresa y comienza a ofrecerlos a su propio público. Después, empieza a extender su red de distribución reclutando a otros vendedores, quienes le pagarán una comisión por vender en su nombre.

Supongamos que quieres dedicarte a vender teléfonos móviles, así que recurres a empresas grandes para que sean los proveedores de tu producto. A estas empresas les interesará que tengas buenos ingresos, pues eso también significará mayores ganancias para ellas.
Por lo tanto, con este modelo todos ganan, puesto que al vender los celulares y después reclutar a otros vendedores, serás independiente de la empresa, controlarás tus ingresos, serás dueño de tu propio negocio y no correrás el riesgo de la fabricación del producto. Además, no tendrás jefes y tú mismo organizarás tu horario laboral como a ti te convenga. Tu desempeño será beneficioso para ti antes que para nadie más.

INSTRUCCIONES PRÁCTICAS

Utiliza la globalización y la tecnología a tu favor por medio de la estrategia de comercialización en red.

Establécete como un vendedor independiente al ofrecer productos ya fabricados por grandes empresas.

Haz crecer tu negocio al expandir tu red de distribuidores, quienes aportarán comisiones por vender en tu nombre.

PREGUNTAS INDAGATORIAS

¿Cuánto te gustaría poder trabajar desde cualquier parte del mundo?

¿Qué tipo de tecnología tienes a tu disposición para comenzar un negocio?

¿Qué tipo de productos te interesa vender? ¿Quién sería tu público?

CAPÍTULO 05:
¿LA SUERTE TIENE ALGO QUE VER?

Malcolm Gladwell calculó que a una persona le toma alrededor de diez mil horas practicar algo hasta convertirse en un experto. Durante esta práctica tan larga, es preciso que asumas tu papel de aprendiz para estar dispuesto a aprender y crecer. Como casi todo en la vida, la práctica también es esencial para dominar un negocio en la comercialización en red.

Formar parte de una red de comercialización es una decisión seria que requiere compromiso y concentración si de verdad se desea impulsar un negocio. A lo largo del camino, es seguro que te encontrarás con tres tipos de personas cuyas opiniones podrían tentarte a desistir:

1. Aquellos que te dirán que lo intentaron y fracasaron. Intentarán convencerte de que la comercialización en red no sirve o que funciona poco. Es verdad que no siempre es un sistema perfecto, pero le garantiza el éxito a aquellos que lo emplean correctamente y que aprenden de sus errores en lugar de darse por vencidos.

2. Aquellos que te dirán que es cuestión de suerte. Para estas personas, alcanzar el éxito con la comercialización en red es como ganarse la lotería, pues piensan que la recompensa debe ser grande aun cuando el esfuerzo sea mínimo.

3. Aquellos que son también principiantes y que en lugar de moverse activamente están a la espera de una empresa increíble que resuelva todos sus problemas. En lugar de enfocarse en su propio esfuerzo, fundan todas sus esperanzas en los proveedores.

Es necesario que ignores este tipo de consejos si deseas convertirte en un auténtico profesional o "Go Pro". Volverte un experto no es cosa de suerte y no debe depender de otros, sino de que tú desarrolles las habilidades que te hacen falta para formar y ampliar tu propia red. Aprender, trabajar y practicar es la única fórmula a seguir, no hay un camino corto para los afortunados y el momento oportuno para comenzar es siempre el presente.

Si eras de aquellos que tenía una opinión como las anteriores, puedes cambiar tu enfoque y enseguida percibirás cómo cambia también tu panorama. Manteniéndote comprometido inspirarás más confianza a los demás y te será más fácil incrementar tu red de comercialización. La clave es tener en mente que no se trata de un proyecto menor, sino de una profesión importante con todo lo que eso implica.

INSTRUCCIONES PRÁCTICAS

Para impulsar un negocio, primero debes comprometerte con seriedad a ello.

La práctica es esencial para convertirte en un experto, por lo tanto, aprende de tus errores en lugar de darte por vencido.

Desarrolla las habilidades que te hacen falta y no dejes nada a la suerte.

PREGUNTAS INDAGATORIAS

¿Tiendes a darte por vencido ante los primeros obstáculos, o posees la capacidad de aprender de tus errores?

¿Confías en la suerte o en tus propias habilidades?

¿Estás preparado para practicar y convertirte en un experto?

LAS 7 HABILIDADES

CAPÍTULO 06:
¿CÓMO ENCONTRAR CLIENTES?
PRIMERA HABILIDAD

Convertirte en un experto profesional de un negocio próspero con la comercialización en red te será sencillo, como ya dijimos, estando dispuesto a aprender y a practicar todo lo que haga falta. Esto implica, a grandes rasgos, adquirir siete habilidades que constituyen los pilares de todo emprendimiento, pues te permitirán adquirir los productos que deseas vender de una empresa, un plan de compensación y una voluntad imbatible para alcanzar tu máximo desempeño.

La primera habilidad fundamental es saber cómo buscar clientes, aquellos prospectos potenciales a quienes vas a destinar tu producto o quienes también, en última instancia, podrían convertirse en vendedores reclutados de tu red.

Hacerte de los clientes adecuados no es tan complicado como podría parecer. La clave está en que comiences una base de datos que jamás debe dejar de crecer. A continuación, se presentan los cuatro pasos que deber seguir para crear una base de datos fuerte, la cual será tu herramienta más valiosa, los cimientos de toda tu red:

1. CREA LA PRIMERA VERSIÓN DE TU BASE DE DATOS: es tan fácil como redactar una lista con todos tus contactos. Incluye a todas las personas a las que conozcas sin establecer aún criterios para saber si te serán de utilidad o no. Amigos y familiares, todos son válidos.

2. HAZ LA PRIMERA EXPANSIÓN DE TU BASE DE DATOS: a partir de los contactos que ya agregaste en el primer paso, añade nuevos contactos que estén relacionados con ellos. Los amigos de los amigos, aunque no los conozcas, podrían ser valiosos.

3. CONTINÚA EXPENDIENDO TU BASE DE DATOS: este no es un paso que se realiza una vez y luego concluye, pues lo tienes que estar haciendo siempre. Actualizar tu lista significa que nunca debe parar de crecer para que jamás te quedes sin candidatos posibles. A lo largo de tu vida, siempre estarás conociendo gente nueva, que a su vez también conocerá gente nueva, y todos ellos son clientes potenciales. Una base de datos que crece se traduce en una red de comercialización que crece.

4. BUSCA NUEVOS CONTACTOS ACTIVAMENTE: como se dijo en el paso anterior, siempre estarás conociendo gente nueva, pero esto no quiere decir que debas dejar que los contactos lleguen a ti todo el tiempo. Asiste a eventos, participa en diversas actividades en las que debas interactuar con otros y procura formar nuevas amistades.

Una vez que tengas una base de datos sólida, entonces podrás comenzar a investigar cuáles de tus prospectos registrados tienen verdaderas posibilidades de convertirse en tus consumidores. Para determinar a quiénes debes involucrar en tu negocio, debes revisar que cumplan con los siguientes tres requisitos:

- Que la persona necesite tu producto o servicio, o que pueda sacarle utilidad.

- Que la persona cuente con poder adquisitivo para poder pagarte por tu producto o servicio.

- Que la persona sea capaz de tomar sus propias decisiones sobre si consumir tu producto o no.

INSTRUCCIONES PRÁCTICAS

Comienza a crear tu baste de datos con todas las personas que conoces, incluso amigos y familiares.

Extiende esa primera base de datos con los contactos de tus contactos y, además, busca también por tu cuenta contactos nuevos.

Finalmente analiza tu base de datos y comienza a identificar a aquellos contactos que cuentan con las características que necesitas.

PREGUNTAS INDAGATORIAS

¿Frecuentemente tienes la oportunidad de conocer nuevas personas?

¿Cuál consideras que es el potencial de tu primera base de datos?

¿Qué necesidades y características deben de tener las personas que selecciones?

CAPÍTULO 07:
¿CÓMO ESTABLECER UNA COMUNICACIÓN EFECTIVA? SEGUNDA HABILIDAD

La siguiente habilidad es una necesidad lógica que deberás satisfacer después de haber puesto en práctica la primera habilidad; de ella depende que te desempeñes en tu profesión de la mejor manera posible. Se trata de desarrollar una comunicación efectiva con los contactos seleccionados de tu base de datos, pues el tipo de interacción que efectúes con ellos será importante para que puedas presentarles tus productos. Será imposible formar una red de comercialización sin esta habilidad, pues la comunicación es el hilo que la mantiene unida.

La comunicación efectiva no depende de la frecuencia, sino de la calidad. Por lo tanto, no hay que confundirla con el hostigamiento, pues perseguir a nuestros contactos para intentar venderles el producto con insistencia solo será contraproducente para el negocio. La manera correcta es casi opuesta, ya que es mejor optar por un estilo indirecto. Esto quiere decir, tal como lo aconsejan los grandes expertos, que primero hay que afianzar nuestras relaciones, hacer amigos e inspirarles confianza.

Solo a raíz de esa confianza debes empezar a actuar en la labor de venta, pero no desde el puesto de vendedor, sino desde el lugar de un amigo. En vez de comer ansias por lograr una venta rápida, debes informar poco a poco a tus clientes potenciales acera de las ventajas de tus productos, sin hacerles sentir jamás como si solo te importara generar ventas para tu negocio.

Si de verdad quieres llegar a convencerlos, no debes olvidarte de la empatía para transmitirles que entiendes cuáles son sus necesidades y sus preferencias. Busca con honestidad las soluciones que tu producto puede ofrecer para sus problemas y házselos saber. Además, ten cuidado de no parecer demasiado pedante al interactuar con tus posibles clientes, pues en lugar de querer escucharte de nuevo es más probable que no quieran volver a saber de ti.

Conforme vayas informando a tus clientes, puedes comenzar a organizar ciertos eventos para asegurarte de que la comunicación siga fluyendo. Por ejemplo, puedes convocar una reunión en la que tus clientes potenciales convivan entre sí y encuentren los puntos en común que los relacionan a tu producto, lo cual reforzará su confianza en lo que ofreces. Este tipo de encuentros en persona te permite dar una cantidad aun mayor de información que sea bien recibida por todos.

El propio autor de Go Pro, Eric Worre, ofrece un ejemplo personal para testimoniar que la organización de eventos es un método altamente efectivo para mantener la comunicación con los miembros de una red de comercialización.

Worre invitaba a sus prospectos a un pequeño encuentro para ver un video de gran producción que habían realizado sus proveedores con el fin de vender los productos. Ayudarse de esta herramienta en una reunión, en lugar de simplemente indicarles a sus clientes que vieran el video por su cuenta, le aportó una comunicación más efectiva y real con los miembros de su red. Y su negocio creció en poco tiempo.

INSTRUCCIONES PRÁCTICAS

No hostigues a tus clientes potenciales, sé su amigo, dales la información poco a poco y nunca los presiones.

Sé empático al momento de ofrecer tus productos y busca sinceramente satisfacer las necesidades de tus clientes.

Asegúrate de que la comunicación siga fluyendo mediante la organización de eventos para construir lazos con tus clientes.

PREGUNTAS INDAGATORIAS

¿Sueles inspirarle confianza a otras personas?

¿Te consideras una persona empática o necesitas reforzarlo?

¿Qué clase de eventos podrías organizar a favor de tus clientes y tus productos?

CAPÍTULO 08:
¿POR QUÉ DEBES CUIDAR TUS EMOCIONES?

Ya que crear una comercialización en red equivale a crear relaciones humanas, comprenderás fácilmente cómo es que pueden haber muchas emociones de por medio. Sin embargo, para que estas emociones no se conviertan en algo negativo y, por el contrario, te ayuden a relacionarte mejor, hay algunas reglas básicas que debes conocer.

Primero que nada, debes estar consciente de que tu objetivo principal es dar información a tu cliente. Ya sea que logres una venta o no, no debes tomártelo demasiado personal, mejor separa tus emociones de los resultados y simplemente enfócate en transmitir la información de tu producto con la mayor claridad posible.

Cuando te relaciones con otros, no olvides ser tú mismo, sin miedo a ser espontáneo. No es necesario que pierdas tu naturalidad para convencer a otras personas, pues tu autenticidad de seguro va a atraerlas más a que si detectan algo falso en ti. Después, sin dejar de ser auténtico, demuéstrales a los demás tu pasión por lo que haces, lo cual los va a predisponer a recibir la información de tu producto de manera positiva.

Recuerda que la emoción no solo está en tus palabras, sino que también la transmite tu lenguaje corporal: gestos, mirada, tono de voz, etcétera. Si tus clientes te perciben seguro de ti mismo, fuerte y lleno de asertividad, confiarán en que tu producto es justo lo que han estado buscando. Finalmente, no te preocupes si no logras este dominio de ti mismo enseguida, pues ya sabes que la práctica es lo que forja cualquier tipo de habilidad.

INSTRUCCIONES PRÁCTICAS

Cuando no logres una venta, no te lo tomes personal, recuerda que tu objetivo principal es informar a tu cliente.

Sé tú mismo, permítete ser espontáneo y apasionado, eso le dará a tus clientes una imagen positiva tanto de ti como de tu negocio.

Cuida tu lenguaje corporal, practícalo para dominarlo y lograrás transmitir seguridad en ti mismo.

PREGUNTAS INDAGATORIAS

¿Eres capaz de separar tus emociones personales de la venta?

¿Sientes pasión por tu nuevo negocio? ¿Puedes demostrarlo?

¿Qué dice tu lenguaje corporal de ti?

CAPÍTULO 09:
¿CÓMO REALIZAR
INVITACIONES EFECTIVAS?

En capítulos anteriores se vio cómo invitar a tus clientes potenciales a una reunión o a un evento es la mejor estrategia para comunicarte y comenzar la labor de venta, pero, ¿cómo invitar a tus contactos y asegurarte de que sí asistan o de que sí revisen la información que deseas proporcionarles?

Los expertos que han consolidado sus redes de comercialización han llegado a la conclusión de que existe una serie de pasos para realizar una convocatoria exitosa, aunque su efectividad es exclusiva para las invitaciones en persona o por llamada telefónica.

A continuación, te presentamos los ocho pasos que debes seguir para invitar a tus contactos a informarse sobre tu producto y comenzar a construir tu red:

1. Al contactar a una persona, dale a entender que tienes prisa. De hecho, todos los pasos de la invitación deben ejecutarse de manera rápida y breve.

2. Elogia a tu cliente potencial, pero de manera sincera.

3. Haz la invitación de manera directa o indirecta, según lo que resulte más efectivo de acuerdo con el tipo de persona con la que estás tratando.

4. Intenta darle más información a través de las herramientas con las que dispones. Para asegurarte de que las reciba, emplea la frase "¿Si yo te diera un (dvd, link, folleto, etc.), tú lo verías/revisarías?".

5. Genera un compromiso de tiempo, una especie de fecha límite para volver a ponerte en contacto y ver si tu cliente revisó la información.

6. Ahora confirma ese compromiso de tiempo, asegúrale la fecha en que te pondrás en contacto de nuevo.

7. Agenda ese compromiso con cuidado, siempre verificando que tu cliente está de acuerdo y que no será un inconveniente.

8. Despídete cordialmente y cuelga o termina el encuentro.

Para entender mejor cómo emplear estos ocho pasos, aquí tenemos un ejemplo práctico. Supongamos que contactas por teléfono a uno de tus clientes potenciales, lo saludas y le das a entender que tienes prisa. Esto hará que te atienda de buena gana debido al poderoso efecto psicológico que generará tu aparente premura: al creerte ocupado, tu contacto sabrá que no será una llamada larga y, además, se sentirá importante para ti debido a que has decidido contactarlo aun cuando tienes prisa.

Para transmitir con educación y amabilidad esa sensación de estar ocupado, puedes usar las siguientes frases o adaptarlas como mejor te convenga:

- "No dispongo de mucho tiempo para conversar, pero para mí siempre es importante contactarte".

- "Tengo miles de pendientes por hacer, pero me da mucho gusto haberte encontrado".

- "Ya voy saliendo, pero quisiera hablar contigo rápidamente".

Una vez establecido que tienes prisa pero que tu contacto con esa persona es importante, debes elogiar a tu prospecto de manera honesta, reconociendo sus aspectos positivos para que continúe dispuesto a escucharte. Puedes recordarle a esa persona que la tomas en consideración por tal o cual logro que ha tenido, por las veces en que te ha apoyado en el pasado, o por sus talentos, perspicacia o inteligencia, entre otras cualidades. Es importante que seas honesto, pues de otra forma tu contacto no se sentirá identificado con lo que dices.

Después, según como sea tu relación con esa persona, puedes invitarla de manera directa o indirecta a tu evento. Si se trata de una persona que te conoce bien, que ya confía en ti y en tus buenas intenciones, puedes plantearle de manera directa tu proposición, empleando frases parecidas a las siguientes:

- "Creo que encontré una manera que podría servirte para mejorar tu economía".

- "Si aún estás buscando un trabajo diferente, me parece que he encontrado una manera para empezar juntos un negocio casi sin riesgos".

Si, por el contrario, se trata de una persona no tan cercana, pero que se siente importante o sobresaliente, puedes usar a tu favor su gusto por el reconocimiento. Por ejemplo, una estrategia infalible es simular que buscas su opinión o sus sugerencias. Puedes apelar a su amplia experiencia para indicarle que hay un negocio nuevo que te emociona, pero que no sabes si es buena idea o no. Intrigada y halagada, de seguro esa persona querrá escuchar más y, posiblemente, involucrarse.

También existe otra estrategia aún más indirecta que posee un gran impacto psicológico. Requiere de habilidad, pues implica que tu cliente potencial no se sienta, precisamente, como un prospecto. La manera más sencilla de lograrlo es preguntándole si no conoce a alguien que pudiera estar interesado en tu proyecto y le describes brevemente de qué trata. Así, le estarás dando la información sin que sepa que está destinada a él, y posiblemente aumentes su curiosidad.

Una vez que tengas la atención de tu contacto y hayas lanzado la invitación, tu objetivo debe ser procurar que tu prospecto reciba aún más información de la que puedes proporcionarle en esa llamada. Por ejemplo, supongamos que para vender tu producto cuentas con la ayuda de una página web como herramienta. Entonces podrías plantearle a tu contacto "¿Si yo te diera el link de la página web, la revisarías?". Si los pasos anteriores han sido exitosos, la respuesta a esta pregunta será "sí".

Obtenido este primer "sí", debes encontrar una manera de asegurarte de que tu prospecto, en efecto, revise la página web y no quede todo en una promesa vacía u olvidada. Para ello puedes establecer un límite de tiempo que equivalga a un compromiso. Puedes preguntarle a tu contacto cuándo cree que tendrá tiempo para visitar la página web. Supongamos que te responde que podrá hacerlo el jueves por la tarde, por lo tanto, tú le dirás que volverás a llamarlo el viernes por la tarde.

Tu contacto te confirmará si esa próxima llamada es conveniente para él en esa fecha y a esa hora, y harán los ajustes pertinentes. A tu vez, ocúpate de confirmar por qué medio puedes volver a contactar a tu prospecto y agenda todos los detalles con cuidado. Asegurado el compromiso, despídete amablemente y cuelga, pues debes recordar durante toda la llamada que tenías prisa.

Este es un ejemplo general y la vida real puede plantearnos toda clase de desafíos. Lo importante es que comprendas los conceptos principales de esta habilidad comunicativa y con la práctica los vayas adaptando a tu propia personalidad y las distintas circunstancias que se te vayan presentando.

INSTRUCCIONES PRÁCTICAS

Para invitar a tus contactos a conocer tu producto, recuerda que lo primordial es que tu invitación sea rápida y concisa.

Elogia a tus clientes potenciales de manera sincera y emplea el estilo directo o indirecto según el tipo de persona con la que estés tratando.

Crea compromisos de tiempo, agéndalos con cuidado y siempre cúmplelos.

PREGUNTAS INDAGATORIAS

¿Cuentas con herramientas para ayudarte en la labor de informar a tus clientes, tales como folletos, dvds, etcétera?

¿Qué tan hábil eres para "leer" a una persona y saber si debes ser directo o indirecto?

¿Sueles cumplir con todos los compromisos de tu agenda?

CAPÍTULO 10:
¿CÓMO CONVENCER A TUS PROSPECTOS CON LA PRESENTACIÓN DEL PRODUCTO? TERCERA HABILIDAD

Para que otros acepten y verdaderamente deseen formar parte de tu red de comercialización, debes convencerlos de que tu producto o tu servicio es justo lo que satisfará alguna de sus necesidades específicas.

Ya lograste contactar con las personas de tu base de datos y lograste con éxito extenderles una invitación. Ahora viene la parte central, que es la presentación del producto, la cual terminará por hacer que tus contactos tomen una decisión. Por lo tanto, es muy importante que la presentación se lleve a cabo de manera correcta.

La clave está en que la presentación la centres en tu producto y no en ti mismo. Debes evitar a toda costa mostrarte como un experto o una autoridad absoluta acerca de lo que vendes. Los contactos que mejor te conozcan sabrán que posiblemente no es cierto y, al tratarse de un producto fabricado por otros proveedores, quizá no puedas responder a muchas preguntas.

Tu papel dentro de la presentación debe ser el de un guía, un enlace entre tus posibles clientes y el producto. ¿Qué es lo que te va a ayudar a ser el mejor guía para tu negocio? Las herramientas que ya mencionábamos anteriormente: publicidad, videos, manuales o páginas web elaborados por las empresas del producto. Incluso puedes pedirle a distribuidores más experimentados que asistan a tu evento para que la presentación luzca más profesional.

No obstante, si tú mismo haces la presentación, la técnica más útil es compartir una historia personal bien elaborada cuyo objetivo sea demostrar la eficacia del producto. Por ejemplo, si la reunión que has organizado es para incorporar nuevos vendedores a tu red, puedes contar cómo era tu vida antes de crear un negocio en la comercialización de red: puedes decir que no habías podido encontrar buenas oportunidades laborales y después contrastar ese pasado con el optimismo por el futuro y las esperanzas de impulsar tu economía.

De igual manera, tus historias pueden ser protagonizadas por conocidos, ya sean familiares y amigos, para demostrar cómo un producto cambió sus circunstancias. Lo esencial es mostrar a personas reales con las que tu público pueda identificarse. No te conformes con contar a la ligera una historia verosímil, prepárala con tiempo, corrígela y ensáyala. Observa cómo es tu forma de contarla para que busques los gestos, las palabras y el tono de voz más convincentes.

INSTRUCCIONES PRÁCTICAS

No centres tu presentación en ti mismo, sino en el producto.

Ya que comerciarás con productos de otras empresas, no quieras presentarte como un experto, mejor ponte en el papel de guía y ayúdate del material promocional ya creado por las empresas.

Utiliza historias personales que demuestren cómo el producto te ayudó a ti o a alguien cercano. Prepara tu historia con tiempo para que puedas corregirla y ensayarla.

PREGUNTAS INDAGATORIAS

¿Tú mismo tienes fe en los productos que deseas ofrecer?

¿Qué tan bien conoces esos productos?

¿Qué herramientas de venta puede brindarte la empresa que los fabrica?

CAPÍTULO 11:
¿CÓMO DAR SEGUIMIENTO
A LAS PRESENTACIONES?
CUARTA HABILIDAD

Dar seguimiento a tus presentaciones del producto consiste en que el proceso para crear una red de comercialización no depende de un solo evento o presentación, al contrario, se requiere de toda una cadena de eventos. Una reunión debe plantar la semilla para que la siguiente reunión se lleve a cabo, pues debes saber que muchos de tus prospectos no quedarán convencidos en la primera sesión, pero quizá sí en la segunda o en la cuarta, incluso en la sexta.

Esto no quiere decir que necesitas bombardear a tus prospectos con presentaciones y llamadas todo el tiempo, recuerda que siempre debes ser breve y conciso, buscando los momentos más oportunos.

Finalmente, sé puntual y cumple siempre, sin excepciones, con tu agenda y con los plazos que aseguraste a tus posibles clientes. Si dijiste que llamarías de nuevo el viernes a las 5 p.m., entonces llama el viernes a las 5 p.m. Para resolver cualquier duda que surja de tus clientes durante las sesiones, aborda los problemas desde la empatía y trata de remitirte a tu historia personal.

INSTRUCCIONES PRÁCTICAS

Para darle seguimiento a tus clientes, toma en cuenta que no bastará con un solo evento inicial, sino que debes continuar planeando otras reuniones.

Aunque se trate de un proceso de muchos eventos, no permitas que tus clientes se sientan bombardeados por tu propuesta.

Procura resolver las dudas de tus clientes de manera empática y personal.

PREGUNTAS INDAGATORIAS

¿Tienes la capacidad de llevar una agenda ambiciosa que contemple múltiples eventos importantes?

¿Eres una persona puntual y responsable?

¿Posees la perseverancia necesaria para convencer a tus clientes poco a poco?

CAPÍTULO 12:
¿QUÉ HACER PARA QUE TUS CLIENTES TOMEN LA DECISIÓN FINAL? QUINTA HABILIDAD

Aquí comienza la recta final que te lleva al comienzo de tu comercialización en red. Hasta este punto, has logrado que tus clientes potenciales estén lo más informados posible y que tengan todo lo necesario para tomar su decisión final. Solamente falta ese impulso que los moverá a darte el "sí" definitivo.

A continuación, tienes una lista de sugerencias para que ayudes a tus prospectos a dar el gran paso:

- No les demuestres que estás ansioso por conocer su decisión. Continúa inspirando confianza por medio de una actitud calmada.

- Recuerda que tu función no es ser un sabelotodo, sino que eres un guía que está ahí para ayudarlos.

- Cree en tu propia oferta y los demás también creerán en los beneficios que deseas poner a su disposición.

- Sé empático, escucha mucho y habla poco, deja que tus clientes potenciales te expresen sus inquietudes y recuérdales que tú serás su guía en todo momento.

INSTRUCCIONES PRÁCTICAS

Para darles a tus clientes el impulso final, mantente calmado en todo momento y no demuestres ansiedad.

Ten fe genuina en tu producto, transmite que crees en lo que ofreces y emociona a los demás con tu propia emoción.

Recuerda que la empatía debe ser tu cualidad principal como guía, por lo que escucha con atención a todo lo que tus clientes quieran decirte.

PREGUNTAS INDAGATORIAS

¿Cuál parte del proceso para formar tu red te parece la más difícil hasta ahora?

¿Cuál es el tipo de producto que más te entusiasma ofrecer?

¿Qué habilidades posees para mantener tus relaciones profesionales?

CAPÍTULO 13:
¿POR QUÉ NECESITAS CONVERTIRTE EN MENTOR? SEXTA HABILIDAD

Estas dos últimas habilidades, la sexta y la séptima, son de mantenimiento después de que has obtenido el "sí" de tu prospecto. Ahora se convierte en un cliente real que merece tu lealtad tanto como tú la suya.

Esto quiere decir que cuando un contacto se vuelve parte de tu red, jamás debes hacerlo sentir desamparado, es necesario que te conviertas en su mentor, lo guíes constantemente y le ayudes a resolver sus dudas. De otra forma, te arriesgas a que quiera dejar de participar.

¿Cuál es la mejor manera de permanecer atento a un miembro de tu red? Ideando un plan de acción para que tu cliente sepa en todo momento cómo proceder. Este plan debe contener lo siguiente:

- Las expectativas que se tienen sobre la comercialización en red, las cuales se intentarán cumplir.

- Indicadores para calcular cómo va el avance de la red.

- Estrategias necesarias para continuar con el crecimiento de la red.

- Herramientas para la presentación del producto.

Gracias al plan de acción, tu cliente sabrá qué hacer en las buenas o malas situaciones y nunca le faltará el suministro de productos ni las herramientas para venderlos. Además, le facilitará entender los planes de compensación y estará al corriente en su propio aporte al crecimiento de la red. Al principio de su camino, tú serás responsable de tu cliente y de su plan de acción hasta que haya practicado lo necesario para ser autosuficiente.

INSTRUCCIONES PRÁCTICAS

Después de que un cliente te ha dado el "sí", es momento de convertirte en su mentor para que le ayudes a aprender todo lo que necesita sobre la red.

Para no perder a tus clientes, sé leal a ellos y nunca los abandones en el proceso.

Crea un plan de acción claro y completo al que tus clientes puedan recurrir ante cualquier duda.

PREGUNTAS INDAGATORIAS

¿Te consideras una persona leal hacia otros que colaboran contigo?

¿Has tenido mentores de los cuales aprender?

¿Cuáles son los puntos clave del plan de acción que darás a tus clientes?

CAPÍTULO 14:
¿QUÉ SON LOS EVENTOS DE "DESTINO"?
SÉPTIMA HABILIDAD

Ya aprendiste el alto valor que tienen las reuniones para este tipo de negocios y lo imprescindibles que resultan para una comercialización en red exitosa. Ninguna llamada telefónica o mensaje electrónico podrá suplir jamás la efectividad del encuentro en persona.

Cuando ya tengas una red de comercialización consolidada, la mejor manera de mantenerla próspera y en crecimiento es mediante la organización de eventos "destino". A diferencia de las reuniones iniciales, estos eventos son a gran escala e implican que los asistentes viajen a otra ciudad para que puedan participar en conferencias y seminarios, más allá de pequeñas presentaciones.

Este tipo de eventos suelen generar un mayor impacto y convencen más rápido a los posibles clientes, en gran parte gracias a que el hecho de viajar ya supone un salida positiva de la rutina diaria, lo cual fomenta la esperanza y la apertura hacia nuevos proyectos. Conocer gente nueva, escuchar varios testimonios y sentirse parte de una comunidad son elementos que pueden convencer hasta al más renuente.

INSTRUCCIONES PRÁCTICAS

Cuando llegue el momento de crecer tu red a gran escala, necesitas planear eventos "destino" que se lleven a cabo en otras ciudades.

Fomenta en los posibles clientes la esperanza y la apertura hacia nuevos proyectos al ofrecerles una oportunidad de salir de su rutina diaria.

En lugar de pequeñas presentaciones, concéntrate en ofrecer conferencias que permitan que la gente forme un sentido de comunidad.

PREGUNTAS INDAGATORIAS

¿En cuánto tiempo crees que tu negocio crecerá lo suficiente como para necesitar de eventos "destino"?

¿Qué estrategias podrías emplear para organizar eventos a gran escala?

¿Crees que, en efecto, el encuentro en persona es la técnica más poderosa para la venta?

CAPÍTULO 15:
¿CÓMO SER REALISTA CON EL TIEMPO?

Así como no debes mostrarte ansioso frente a tus prospectos, tampoco debes hacerlo frente a ti mismo. El camino a las grandes metas no es corto, requiere de paciencia y tiempo. En promedio, la estrategia de la comercialización en red sigue la fórmula 1-3-5-7, que se explica de la siguiente manera:

- Tardarás 1 año en practicar hasta adquirir todas tus habilidades.

- Pasarás 3 años dedicándote a tu red en una jornada de medio tiempo hasta que rinda los frutos suficientes como para hacerlo a tiempo completo.

- Pasarán 5 años hasta que logres tener un ingreso económico de al menos seis dígitos.

- Tardarás 7 años en convertirte en todo un maestro.

Por supuesto, el camino de cada persona es diferente, por lo que esta no es una fórmula inflexible. Quizá tardes más, quizá tardes menos, pero lo que sí sentirás de manera inmediata es la enorme satisfacción de estar invirtiendo en tu futuro y en tu independencia. Ser emprendedor trae felicidad, la cual está al alcance de cualquiera que desee impulsar su profesión.

INSTRUCCIONES PRÁCTICAS

Toma en consideración que convertirte en un experto de la comercialización toma tiempo y paciencia, por lo que no debes ser ansioso contigo mismo.

Evalúa la fórmula 1-3-5-7 y reflexiona acerca de tu proceso.

Recuerda que tu experiencia es personal y única, por lo que no debes imponerte ninguna clase de presión externa.

PREGUNTAS INDAGATORIAS

¿Estás dispuesto a trabajar el tiempo que sea necesario hasta lograr tu independencia económica?

¿Tiendes a comparar tu situación con la de otros?

¿Te sientes preparado para dejar los trabajos convencionales y convertirte en un emprendedor?

LECCIONES APRENDIDAS

CAPÍTULO 01: Conociste los motivos principales por los que muchas personas no disfrutan sus trabajos y cuáles son las características que harían de su situación laboral un ideal, como tener un horario flexible, un buen salario, oportunidad de crecimiento, etc.

CAPÍTULO 02: Comprendiste que algunas de las categorías tradicionales de empleo se acercan más que otras a un ideal, aunque ninguna en realidad lo logra debido a que todas están sujetas a riesgos y grandes dificultades.

CAPÍTULO 03: Aprendiste que el nuevo modelo económico funciona porque hay mucha demanda de empleo y pocas vacantes, lo que ha creado un ambiente sumamente competitivo con sueldos injustos basados en el desempeño.

CAPÍTULO 04: Descubriste que puedes independizarte del modelo económico empleando la estrategia de comercialización en red, que consiste en vender los productos de grandes empresas y crear una red de distribuidores.

CAPÍTULO 05: Aprendiste que jamás debes dejar nada a la suerte, pues el éxito proviene de la práctica, de aprender de los errores y del desarrollo de habilidades.

CAPÍTULO 06: Con la primera habilidad aprendiste cómo buscar tus primeros clientes creando una base de datos con todos tus contactos y todas las personas que ellos a su vez conozcan.

CAPÍTULO 07: Mediante la segunda habilidad aprendiste que para mantener una comunicación efectiva con tus clientes necesitas optar por un estilo indirecto y amigable para que no se sientan presionados. Además, puedes organizar eventos para que se conozcan mejor entre sí.

CAPÍTULO 08: Aprendiste que es importante cuidar tus emociones; no debes tomarte nada personal, debes ser tú mismo y transmitir un lenguaje corporal lleno de seguridad.

CAPÍTULO 09: Descubriste un método sencillo de ocho pasos para invitar exitosamente a tus clientes a conocer el producto. Entre los pasos más destacados, está ser rápido, conciso y crear compromisos de tiempo.

CAPÍTULO 10: Comprendiste la tercera habilidad, con la cual, mostrándote como un guía, puedes crear una presentación perfecta utilizando material profesional e historias personales.

CAPÍTULO 11: Con la cuarta habilidad aprendiste que debes darle seguimiento a tus presentaciones con la creación de múltiples eventos que te permitan resolver las dudas de tus clientes y continuar convenciéndolos de adquirir tus productos o de sumarse a la red.

CAPÍTULO 12: Mediante la quinta habilidad comprendiste que debes mantenerte calmado y sobre todo atento para que tus clientes terminen de confiar en ti y se entusiasmen por tu oferta.

CAPÍTULO 13: Aprendiste que la sexta habilidad consiste en convertirte en el mentor de tus nuevos clientes, demostrándoles lealtad y dándoles un plan de acción con el que puedan guiarse.

CAPÍTULO 14: Por medio de la última habilidad aprendiste que puedes darle mantenimiento a tu negocio y hacerlo crecer planificando eventos "destino".

CAPÍTULO 15: Reflexionaste que debes mantener la calma y seguir trabajando el tiempo que sea necesario hasta alcanzar la meta final de la independencia económica, pues tu proceso es individual y único.

ACERCA DE ERIC WORRE:
EL AUTOR DEL LIBRO ORIGINAL

Originario de Minneapolis, Estados Unidos, **Eric Worre** es actualmente un productor millonario para la compañía Agel. Sin embargo, no siempre tuvo el éxito que goza hoy en día, pues durante años pasó por más de veinte empleos distintos sin encontrar estabilidad para su vida.

Worre decidió utilizar su experiencia personal para ayudar a otros que se encuentren en la misma situación laboral que él sufrió. Es así como se convirtió en el más grande experto de la comercialización en red. La difusión de sus ideas ha contribuido al desarrollo de cientos de emprendedores que han encontrado su independencia y el trabajo ideal.

ACERCA DE BOOKIFY EDITORIAL

LOS LIBROS SON MENTORES. Pueden guiar lo que hacemos en nuestras vidas y cómo lo hacemos. Muchos de nosotros amamos los libros mientras los leemos y hasta resuenan con nosotros algunas semanas después, pero luego de 2 años no podemos recordar si lo hemos leído o no. Y eso no está bien. Recordamos que, en el momento, aquel libro significó mucho para nosotros. ¿Por qué es que tiempo después nos hemos olvidado de todo?

Este resumen toma las ideas más importantes del libro original.

A muchas personas no les gusta leer, solo quieren saber qué es lo que el libro dice que deben hacer. Si confías en el autor no necesitas de los argumentos. La gran parte de los libros son argumentos de sus ideas, pero muy a menudo no necesitamos argumentos si confiamos en la fuente. Podemos entender la idea de inmediato.

Toda esta información está en libro original. Este resumen hace el esfuerzo de reducir las redundancias y convertirlas en instrucciones directo al grano para las personas que no tienen intención de leer el libro en su totalidad.

Esta es la misión de **BOOKIFY EDITORIAL.**

NOTA ACERCA DEL LIBRO

ESTE LIBRO es un resumen del libro original, no es una crítica ni revisión de este, por lo tanto, no emite juicio sobre los conceptos del autor. Este texto no representa al libro original, sino que se centra en un resumen de las ideas centrales, conceptos y argumentos del autor descritos de una manera general.

Como el lector ha podido percibir, este libro tiene elementos puntuales en su contenido que sirven de consejos o principios para aplicar en su vida cotidiana, por lo que sugiero su lectura periódica, de tal manera de internalizar los conceptos y de esa manera lograr convertirlos en hábitos de uso diario.

RESEÑAS / REVIEWS

GRACIAS POR HABER LEÍDO este libro, esperamos que su contenido haya sido de utilidad y le sirva para profundizar sus conocimientos en el tema. Si realmente le gusto el libro le agradecemos que nos deje una crítica sincera en esta plataforma.

La mejor forma para que autores nuevos, como es nuestro caso, se destaquen y consigan mejor posicionamiento de sus libros es a través de las críticas positivas. De esa manera podemos seguir escribiendo, además de poder ir mejorando la calidad día a día.

NOTA LEGAL

ESTE LIBRO tiene la finalidad de proporcionar información y entretenimiento a sus lectores. Su contenido está basado en fuentes consideradas confiables, sin embargo, el autor no puede confirmar ni garantizar su exactitud y validez y no se hace responsable por ningún error u omisión. En ningún caso, el lector debe asumir el contenido de este libro como consejo profesional, ni pretende sustituir las funciones de los expertos en el área, por lo tanto, es una guía cuya aplicación debe ser consultada con los profesionales acreditados en el área antes de ser usada. En el caso de protocolos o tratamientos médicos descritos en el contenido de este libro, el lector debe recibir asesoramiento medico profesional calificado antes de utilizar cualquiera de los recursos o técnicas descritos en este libro.

El lector está de acuerdo en aceptar que al utilizar la información contenida en este libro exime de responsabilidad al autor de costos, gastos, daños, e incluso de honorarios profesionales que puedan surgir de la aplicación de cualquier detalle descrito en este libro. Este descargo de responsabilidad se aplica incluso a la aplicación directa o indirecta de cualquier información presentada, ya sea por incumplimiento de contrato, agravio, negligencia, daño personal, intención criminal o bajo cualquier otra causa de acción.

Las imágenes y el contenido de este libro no se han tomado del libro original y debe ser considerado como una entidad separada del libro:

"GO PRO
(GO PRO)
DE ERIC WORRE"

DERECHOS DE AUTOR

ESTE LIBRO, en su edición digital y en papel, está sujeto a derechos de autor. Queda prohibida la reproducción total o parcial de su contenido sin la autorización por escrito del autor y/o editor. En el caso de reseñas o artículos críticos del libro, las citas deben ser entrecomilladas, informando la fuente, el título del libro, la edición, el autor, el editor y la fecha de publicación.

Todos los derechos reservados. Está prohibida la reproducción, duplicación o transmisión total o parcial del contenido de este libro a través de cualquier medio digital o no, incluidas, pero no limitadas a fotocopias, escaneos, descargas electrónicas, grabaciones y traducciones. Queda igualmente prohibido almacenar en cualquier sistema de recuperación sin el consentimiento por escrito del autor y/o editor, excepto en los casos de citas incorporadas en artículos de revisión o críticos, en cuyo caso debe estar claramente establecida la autoría de esta.

El contenido del libro está orientado a ofrecer una información confiable sobre el tema, sin embargo, el editor no está obligado a prestar servicios calificados en el tema. En caso de que cualquier persona, en este caso lector del libro, necesite un consejo o asesoramiento sobre el tema, se recomienda buscar a un experto en el área. Queda igualmente establecido que es absoluta responsabilidad del lector la interpretación del contenido del libro, así como de cualquier uso o abuso de la información y contenido del libro.

El editor deja claramente establecido que en el presente libro se hacen referencias al libro original con un propósito educativo e informativo. Por esta razón el autor y el editor reconocen los derechos de autor del libro original.

Made in the USA
Middletown, DE
14 February 2023

24672258R00033